JN080706

だいじょうぶ
自分でできる
はずかしい！［社交不安］から抜け出す方法
ワークブック

著：クレア・A・B・フリーランド
　　ジャクリーン・B・トーナー
絵：ジャネット・マクドネル
訳：上田勢子

明石書店

What to Do When You Feel Too Shy

A Kid's Guide to Overcoming Social Anxiety

by Claire A. B. Freeland, Ph.D.
and Jacqueline B. Toner, Ph.D.

illustrated by Janet McDonnell

この本を読む
日本のあなたへ

この本へようこそ！　このシリーズは、あなたたちがいろいろな感情を理解し、困難な気持ちに立ち向かえるように書かれたものです。感情はとても大切なものです。自分の気持ちがわかるようになれば、その知識を使っていろんな問題を解決することができます。世界中の子どもたちみんなが感情を持っています。かんたんに乗りこえられるものもありますが、むずかしいものもあります。でも、困難な感情も大事なのですよ。自分の体験を理解するためには、あらゆる感情が必要ですから。この本は、ご両親や先生のような大人といっしょに読むとよいでしょう。本から学んだことや、あなたがどんなふうに練習したかを、ゆっくり時間をかけて、助けてくれる大人と話しましょう。

いろいろな感情についてわかれば、自分が経験したことをどう考えるかが大事なんだと、わかるようになるでしょう。そして、新しい考え方を学ぶことができます。新しい考え方をすれば、感じ方も変わるかもしれません。新しいものの見方や、新しい行動ができるようになって、問題もきっと少なくなりますよ！　自分のことがもっとよく思えるようになったり、ゆったりした気持ちになったり、自分を大切にできるようになったりするための方法を、あなたがたくさん見つけられるよう願っています。つらく困難な気持ちになることは、だれにでもあることです。でも、そんな気持ちに気づいて、学んだ知識と技を使って問題に向き合えば、きっともっとうまくいくようになります。すると、遊んだり、笑ったり、毎日を楽しんだりする時間とエネルギーがずっと増えるでしょう！

あなたは、どんな感情にも立ち向かうことができるのです。やってみようと決心したあなたを、わたしたちは応援しています！

クレア・A・B・フリーランド博士
ジャクリーン・B・トーナー博士

もくじ

親と先生のための まえがき

わが子が親とは別の個人として、独自の人格とスタイルを備え成長していくのを見るのは、子育ての喜びのひとつです。何から何まで親に頼ることなく、自分自身の足でしっかり歩んで行けるようになるのですから。でも、なかには、人とのかかわりに不安や恐怖を感じる、社交不安を抱えた子どももいるでしょう。自己主張をする自信がなく、友だちの輪に加わることができない子どももいるかもしれません。あなたの子どもが、誕生日会に行くのをいやがったり、ほかの子たちがなんのためらいもなく行っているアクティビティに参加しようとしないのは、親として心が痛むものです。

子どもはみんな、いえ、人間だれしも、恥ずかしいと思うことがあるものです。でも、人よりずっと、内気で無口な子どももいます。こうした子どもたちは、恥ずかしい思いをしたり、断られたりしたらどうしようと過剰に恐れ、結果として、苦痛を現実に味わうことになってしまいます。ある特定の場面になると、頭と体がいっせいに警告サイレンを鳴らし始めるのです。

こうした子どもを「恥ずかしがり屋」と決めつけるのは簡単かもしれませんが、恥ずかしがり屋と社交不安は同じではないことを知っておくことが重要です。恥ずかしがり屋の子どもの多くに社交不安がありますが、そうではない子どももいます。また、社交不安のある子がみんな恥ずかしがり屋とはかぎりません。知らない状況で警戒心を抱く子や、自分が他者からどう評価されるかと自意識過剰になる子どもは、恥ずかしがり屋だと言えます。こうした軽度から中度のシャイネスの特性は多くの子どもに見られます。このような子どもは知らない状況に慣れるのに時間がかかりますが、しだいに慣れて仲間に入ることができます。一方、社交不安のある子どもは、人に評価されるような社会的な状況を非常に恐れてためらうあまり、強い苦痛を感じたり、そうした状況を一切避けたりするようになります。

社交不安はどこからくるのでしょうか。決定的な答えはありませんが、多くの場合、生物学的に不安を感じやすい傾向があるなど、複数の要素が組み合わさっていると言えます。そのほかに、お手本となる人の行動や、文化の違い、幼いころのさまざまな体験といった要素も関係しています。しかし原因が何であっても、練習してスキルを身につけることによって、子どもは人とのかかわりに自信を持てるようになるのです。

会話に加わったり、授業中に答えを言ったり、レストランで注文をしたり、ふだんの課外活動に参加したり、なにかを演じたり（グループで行うものも含め）といった日常の活動が困難になると、ストレスが高まります。社交不安に苦しんでいる子どもが、自分が注目されていると感じたときに、どんな気持ちになるかは、親のあなたには十分わかっていることでしょう。寒気がしたり、めまいがしたり、震えたり、赤面したりするかもしれません。子どもをなにかに参加させようと説得を試みても、繰り返し拒まれたり、懇願されたり、かんしゃくを起こされたり、あるいは「そんな最悪なことをするくらいなら、罰を受けるほうがましだ！」と言われたりした経験が、あなたにもあるかもしれません。

こんなことがあると、子どもや家族が苦しむだけでなく、子どもの成長にかかわる重要な経験ができなくなってしまうこともあります。人とのかかわりに自信を持つことは、気分がよくなるだけでなく、役に立つことでもあるのです。人づきあいに自信のある子は学校の成績もよく、友だちと仲良くできて、チャレンジ精神に富み、周囲からのサポートも多く受けられるようになります。

あなたの子どもが人づきあいにまるで自信がなくても、だいじょうぶです。心配はいりません。この本は、子どもが人と接するさまざまな場面で、居心地よく過ごせるようになるよう導いていきます。ここで紹介する方法は認知行動療法をもとに、次のような要素を組み合わせたものです。

- あいさつをする、質問する、質問に答えるといったソーシャルスキルを実践する
- 自分の考えを述べることができるなど、アサーティブネス（自己主張）の方法を学ぶ
- 困難な場面に少しずつ出ていくことで、さまざまな状況で自立していけるようにする
- 新しい考え方 ── 自信が持てるよう自分に言い聞かせる言葉を身につける
- 思い通りにいかなかったときに問題を解決する能力をつける
- ストレスに対処するために、自分の感情をコントロールする

さまざまなアクティビティや練習の機会を通じて、少しずつ成功を体験していくことにより、子どもは自分の考えを述べたり、なにかに参加したり、自分のコンフォートゾーン（安心を感じる領域）を広げたりすることを覚えていきます。

この本は子どものために書かれたものですが、成功するためには親御さんや先生の協力が必要です。子どもが小さいうちは、社交不安を乗りこえるためのさまざまな行動を教えるよい機会なのです。まず、あなたがこの本全体を読み通してみてください。それから、子どもと一緒に１章ずつ、ゆっくりと読み進めていってください。読みながら、お子さんに練習問題をするよう促しましょう。そして、本に出てくる例や練習が、実際の生活にどのように当てはまるかを話し合ってみましょう。本には、子どもに練習して身につけてもらいたいことがたくさん紹介されています。子どもががんばったことは全部、しっかりと褒めてあげてください。小さな一歩が積み重なって、大きな変化が起きるのです。

あなたも社交不安で苦しんだことがあるなら、あなた自身の過去の経験が、この本に出てくる多くの例と重なるかもしれません。あなたの対処法や、不安が生活の妨げにならないようあなたがどんなことをしたかなどを、子どもに話してあげてください。自分には社交不安がほとんどないという人は、子どもの視点を理解するよう努力してください。あなたが共感と根気を示せば、子どもは支えられていると感じ、チャレンジしてみようという気持ちになることでしょう。

あなた自身がどんな経験をしていても、子どもが社交不安への健全な対処法を見つけられるように、あなたにはできることがあるのです。

- 子どもが新しい体験をするときは、しっかり準備をして、困難な体験に楽に挑めるようにしてあげましょう
- 子どもの気持ちを認めて、あなたがそれを受け入れていることを示しましょう
- 安心できるペースで、さまざまな新しいことに触れさせていきましょう
- 子どもの才能と興味をサポートし、伸ばしていきましょう
- フレンドリーで社交上手なふるまいのお手本を見せましょう
- 冷静に、子どもが自信を持てるように話しましょう

引っ込み思案な子どもでも、ほとんどの子は年齢が上がるにしたがって、人とのかかわりがあまり気にならなくなるものです。しかし社交不安にかられている子どもだと、さらに心配や恐れの気持ちを抱くようになったり、イライラしたり、睡眠障害が生じたりといった、社交不安にかかわるさまざまな問題が起きる恐れがあります。そうした問題については、この「イラスト版　子どもの認知行動療法」シリーズのほかの本が役立つかもしれません。問題が続くようなら、小児科医や児童精神科医などの専門家に相談して、診察を受けたり、詳しい情報をもらったりするとよいでしょう。

さあ、子どもが人とのかかわりに自信を持てるようになるために、忙しい日常生活の中でちょっと立ち止まって、親子の時間を持ってみませんか？　子どもと一緒にいる時間を楽しむのなら、今のうちですよ。きっともうすぐあなたの子は、友だちと遊びに行ってしまったり、新しいアクティビティで忙しくなったりするでしょうから。

第1章

ピエロ

サーカスには、ピエロがつきものだよね。ピエロは、マジックをしたり観客を笑わせたりする。カラフルな衣装に大きすぎる靴、おかしなカツラ、色とりどりの帽子を身につけて演技をするんだ。

ピエロは、はでな衣装とおどけたしぐさで、まちがいなく観客の注目をあびている。ピエロはみんなに見られたり、笑われたりするのが好きなんだ。そのことに、きみは気がついただろうか。

でも、きみには、注目されてうれしいときも、そうでないときもあるだろう。スポットライトが当たって、いごこちの悪い思いをすることもあるかもしれない。人に見られていると思うと、はずかしく感じる子はたくさんいるし、そう感じてもいいんだ。気持ちは人間の大事な部分だよ。たとえ、それがいやな気持ちでもね。

なかには、注目されると、ものすごくいごこちが悪くなる子もいる。体と頭がはずかしさをすごく感じたり、ひどく緊張(きんちょう)したりすることもある。こまったことに、人前であまりはずかしがっていると、それがきみのじゃまをすることもあるんだ。

いごこちが悪くなるだけじゃない。人に笑(わら)われたり、なにかいやなことを言われたりするかもしれないと強く感じると、おもしろそうな活動に参加(さんか)できなくなったり、楽しいことができなくなったりするかもしれない。そうすると、取り残(のこ)されたような、さびしい気持ちになるよね。

そんな気持ちになると、やりたいことや、しなくてはならないことができなくなるかもしれない。

きみは、注目されて、すごくはずかしいと思ったことはあるかな？きみにも、こんなことはない？

- 授業中、答えがわかっているのに手をあげられなかった。

- スケートが得意なのに、はずかしくてスケートのチームに入れなかった。

- 楽しそうなパーティーに呼ばれたけど、知らない子がいるかもしれないと心配になって、行くのをやめた。

- お店で、ほしいものがどこにあるかを、店員さんに聞くのがはずかしくて、買うことができなかった。

人に注目されることが心配で、できなかったことがほかにもあれば書いてみよう。

注目されることへの心配が、どんどん大きくならないように、自分をコントロールする方法を身につけよう。すぐに変えられるわけじゃないよ。ひとつずつ学びながら、はずかしい気持ちを少しずつ変えていこう。そうすれば、人といっしょにいるときに、もっと自信が持てるようになるし、注目されるのだって、そう悪くはないと思えるようになるよ。

ライオン使い

サーカスでは、ライオンが芸をすることもある。ライオン使いがムチをふるうと、台に座ったライオンが別の台に飛びうつったり、輪をくぐりぬけたりするんだ。

ライオン使いは、ライオンに芸をさせる方法を身につけているから、ライオンを恐れない。でも、もしきみが「ライオンをなでてごらん」と言われたら、こわいよね！　こわいと思うのはいいことなんだ。だって、何年もかけてライオンのトレーニングを学んだ人でなければ、ライオンをなでるのは危険なことだから。人間は、危険な場面にくると、心臓がバクバクしたり、体がふるえたり、筋肉がこわばったりするんだ。こんなふうに体が危険を教えてくれるのは、とても役立つことだよ。体の出す信号に注意していれば、安全なところへ逃げることができるからね。

でも、ライオンはいないし、自分を傷つけるものも何もないのに、体がそんなふうに反応することがある。これを **不安** というんだ。こわさと同じように、体が **不安** を感じるのはよくあることだ。**不安** はこっそりとしのびよってくることもあるんだよ。

第１章で、注目されるといごこちが悪くなるって話したよね。人といっしょにいて、とてもはずかしいとか、どぎまぎするとか、いごこちが悪いと感じると、体が **不安** な反応をすることがあるんだ。

不安を体のどこで感じるかは、人によってちがうよ。下の絵を見てみよう。きみが人に見られているときや、みんなの前で話さなくてはならないとき、つまり、きみにスポットライトが当たっているときに、きみはふだん、体のどの部分で**不安**を感じるだろう？　当てはまるものに○をつけよう。

ほとんどだれでも、注目されるとこんなふうに**不安**を感じることがあるよ。

つぎのことのうち、きみが**不安**になるのはどんなときかな？

印をつけよう。

□ 授業中に先生に当てられたり、音読するように言われたりしたとき

□ クラスの前で発表するとき

□ 教室の前に出て、黒板になにかを書くとき

□ 授業中に、班で課題をするとき

□ 校庭で遊んでいる子たちに、なかまに入れてほしいと言うとき

□ アイスクリーム・パーティーなど、グループでするイベントに参加するとき

□ 遅刻したとき

□ 友だちの家でトイレを借りるとき

- [ ] 親に頼まれて、となりの家になにかを取りに行くとき
- [ ] 電話に出るとき
- [ ] レストランで注文するとき
- [ ] 友だちに電話をかけるとき
- [ ] 学校以外の活動に参加するとき
- [ ] 発表会に出るとき
- [ ] 友だちを遊びにさそうとき
- [ ] 会話を始めるとき
- [ ] 大人と話すとき
- [ ] お店でお金をはらうとき

きみが選んだのはどれだろう？

上にあげたことは、どれも本当は危険なことではない。ライオンをなでるわけじゃないしね！　それなのに、きみの体は、まるで危険があるように反応してしまうんだ。

いつも不安が生まれるような状況を、**引き金**と呼ぶ。

なにかをしようとするときに、**引き金**があると、**心配な考え**が出てきて、それが**不安**を作るんだ。そうするときみは、はずかしくてそのことができなくなり、その場から逃げようとするかもしれない。

これは、連鎖反応のようなものなんだ。ひとつのことが、つぎのことへと順番につながっていくということだよ。

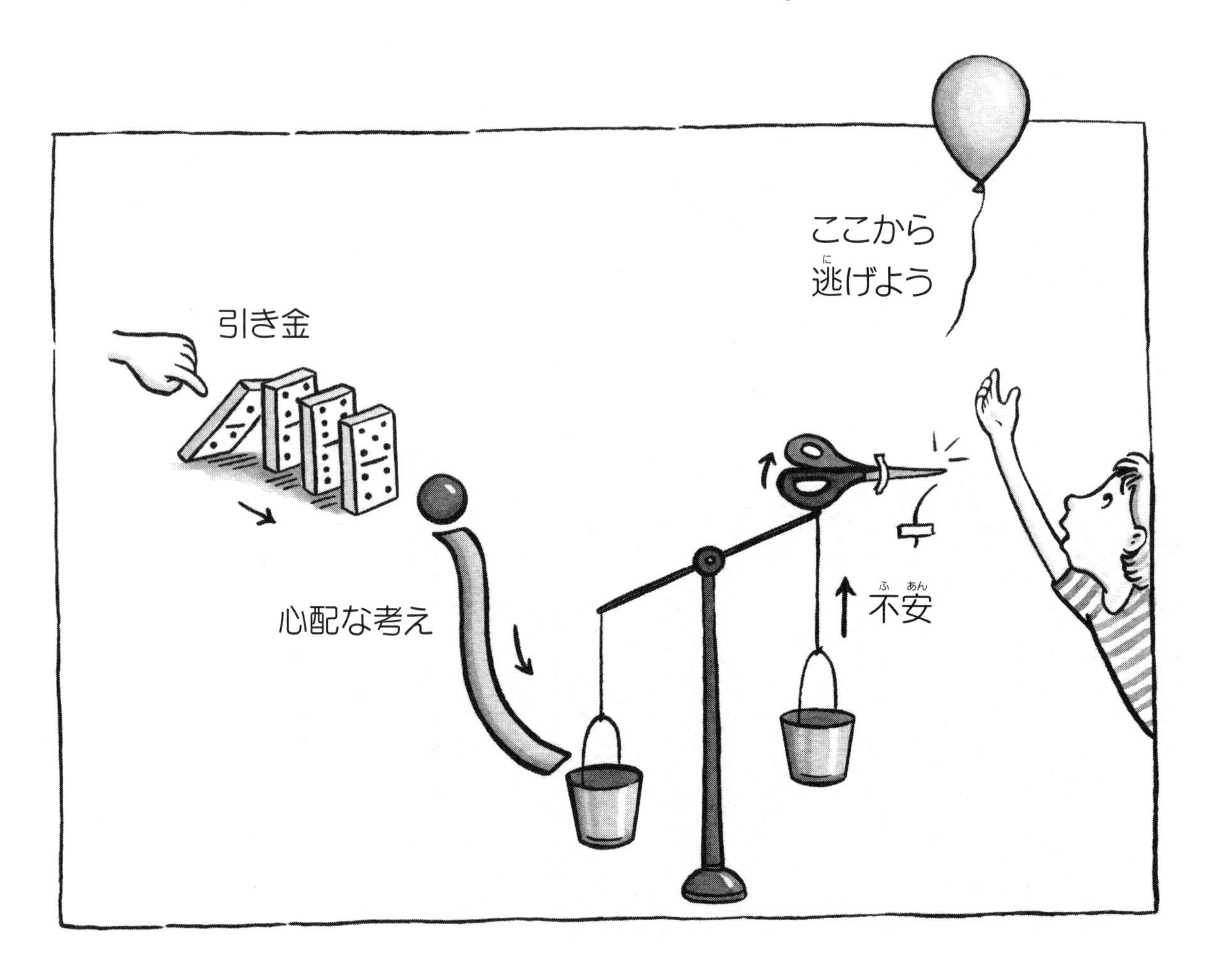

では、この **心配な考え** とはいったいなんだろう？　よくあるものに、こんな考えがあるよ。

- 「みんなに笑(わら)われるよ」
- 「だれもなかよくしてくれないよ」
- 「何を言えばいいかわからないよ」
- 「どぎまぎしているのが、みんなにわかってしまう」

こうした **心配な考え** は、まちがいなく **不安(ふあん)** な気持ちを作り出す！　こんな考えと気持ちを持つと、どうなるだろう。どんなことをすると思う？

こんなことをするかもしれないね。

- 何も言わなくなる
- その場を離(はな)れようとする
- 下を向く
- 楽しいことも「やりたくない」と言う

こんなふうに、**引き金** が **心配な考え** を生み、それが **不安(ふあん)** 感へとつながっていく。そうすると、大事なことや楽しいことができなくなってしまうかもしれないってこともわかるよね。

不安な気持ちから逃げるために、なにかを避けているのは、きみだけじゃない。だからだいじょうぶだよ。だれにでもはずかしいと思うことはあるし、注目されると**不安**になる子も多い。でも役に立つ方法や解決策があるから、安心して。いろいろな方法を覚えれば、前みたいに**不安**ではなくなるよ！

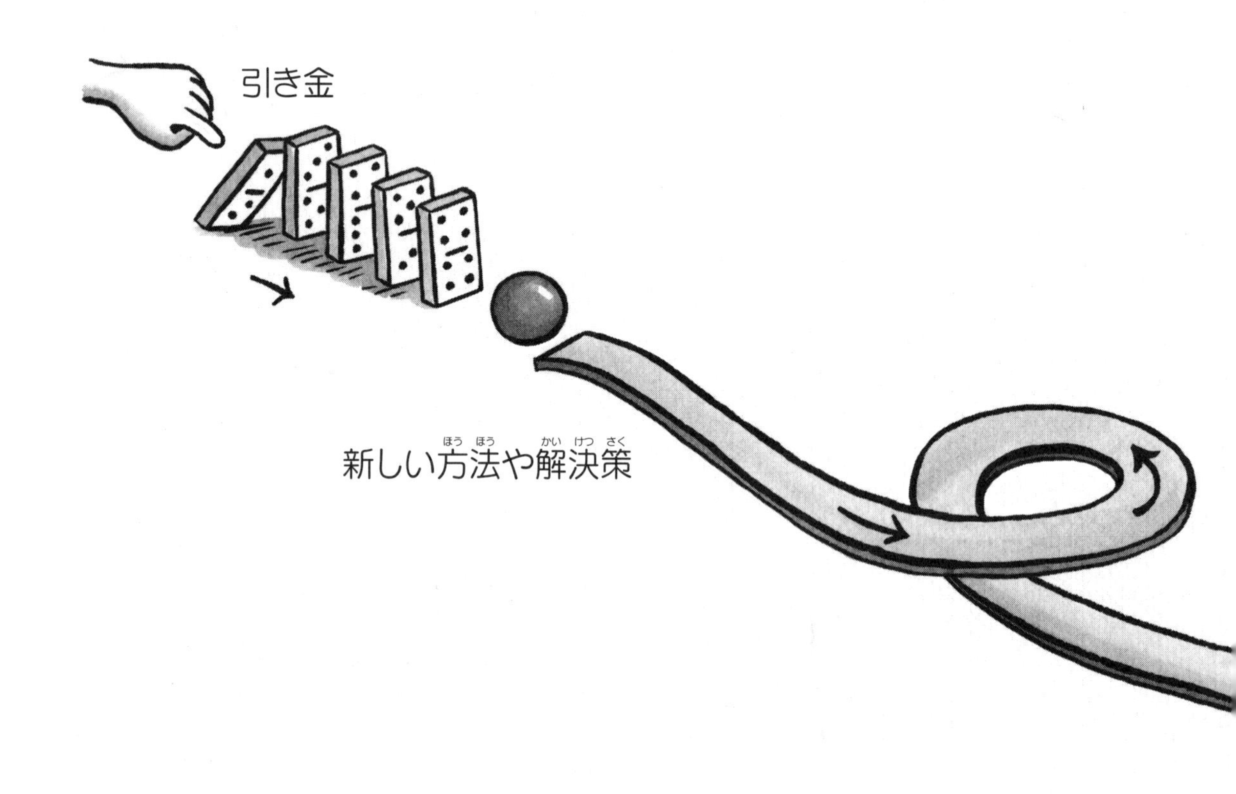

連鎖反応を変えるには、考えや行動を変えればいい。きみは「ライオンを手なずけて」、**不安**を変えることができるんだ！

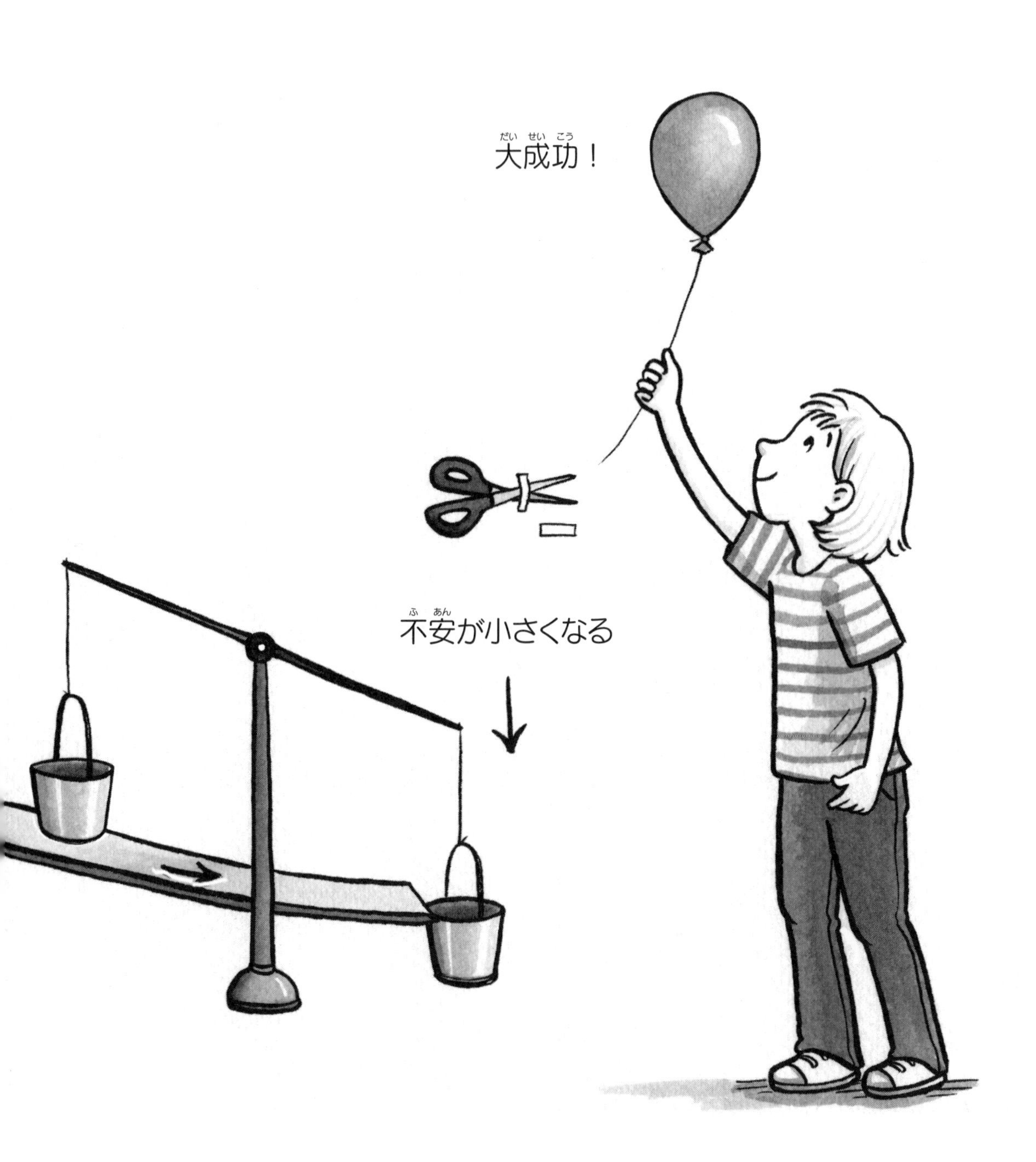

第3章

スポットライトをあびる

サーカスの団員は、ショーのために技や芸をたくさん覚えなくてはならない。もし、ジャグリングの曲芸をするジャグラーが「こんなにたくさんのクラブを投げるなんて、ぜったいムリ！　きっと落としてお客さんに笑われるよ！」なんて考えたらどうだろう？　こんな**心配な考え**でジャグラーが**不安**になったとしたら、曲芸を途中でやめたり、最初からやらなくなったりするかもしれないよ。

でも、ジャグラーが **心配な考え** を、こんなふうに変えたらどうだろう？「だいじょうぶ、きっとできるよ！　お客さんはみんなサーカスが大好きだし、もしぼくがひとつぐらいクラブを落としても、まだサーカスを楽しんでくれるよ」。こんなふうに考えれば、ジャグラーは、やる気が出ると思わない？　この章では、きみの **心配な考え** はなにかを見つけて、**自信のある考え** でそれに対抗していく方法を、いくつか紹介するよ。きみもスポットライトをあびて、かがやくことができるようになるんだ！

子どもが**不安**な気持ちになりやすい**心配な考え**には、こんなものがある。

- 「なにを言えばいいのかわからないよ」
- 「きっとわたしと遊びたくないんだ」
- 「ぼくのレポート発表、みんな気に入ってくれないよ」
- 「ふるえているのが、きっとみんなにわかっちゃうよ」
- 「たぶん失敗するよ……」

こういうのは後ろ向きな考え方で、**不安**を引き起こしやすい考えなんだ。**心配な考え**にはいくつか種類があるよ。よくあるのは、**スポットライトの考え**、**読心術の考え**、**自分を信じない考え**の３つだよ。

ゾウィーは、給食の時間が大きらい。みんなに食べ方を見られていると思うからなんだ。口に食べものを入れたまましゃべっていないか心配で、とうとう何も話せなくなってしまった。ゾウィーのそんな考えが、自分にスポットライトが当たっていると思わせてしまったんだね。**スポットライトの考え**を持つと、実際よりももっと人に注目されていると考えてしまう。

タイラーはラクロス*の試合で、シュートをミスしてしまった。そのあと、試合のあいだじゅう、タイラーはずっと、チームメートや観客から自分はヘタクソだと思われているにちがいない、と考えていたんだ。まるで、人の心が読めるみたいにね。こんなふうに **読心術の考え** を持つと、人が何を考えているかがわかるような気がするんだ。

アンドリューは、生徒会の委員に選ばれたのに断ってしまった。いいアイデアなんか思いつかないし、自分にはうまくできっこないと思ったからなんだ。「きっと会議の内容を覚えられなくて、クラスのみんなに報告できないだろう」と考えた。だから、アンドリューは、みんなをがっかりさせるはずだと思いこんでしまったんだ。こんなふうに **自分を信じない考え** を持つと、自分にはうまくできないと考えてしまうんだね。

＊ 先に網のついたスティックでボールをうばい合い、相手陣のゴールに入れて得点をきそう競技。

スポットライトの考え、**読心術の考え**、**自分を信じない考え**は、どれも**不安**を大きくする考えなんだ。こんな考え方は、現実に合わないし役にも立たない。でも、こんな考えには、**自信のある考え**で対抗すれば、不安をへらすことができるんだよ。

ゾウィーとタイラーとアンドリューの現実に合わない考えに、**自信のある考え**で対抗してみよう。

たとえば、ゾウィーは「みんなは私の食べ方ではなくて、私の話に注目しているんだ」と考えることができるよね。ほかに、どんな**自信のある考え**で、**スポットライトの考え**を変えられるかを考えて、下に書いてみよう。

タイラーは **読心術の考え** のかわりに、「お客さんは試合を見てるんだ。ぼくだけを見ているわけじゃない」と考えることができるよね。ほかに、タイラーはどんな **自信のある考え** をすればいいだろう？

アンドリューは、**自分を信じない考え** をしているけれど、こんなときは「だれにでも失敗はあるよ。ぼくはふだん、ちゃんとやれてるよ」と考えることができるよね。ほかに、アンドリューはどんな **自信のある考え** をすればいいだろう？

きみの頭に、現実に合わない **心配な考え** がうかんだとき、どんな **自信のある考え** をすればいいか、さがしてみよう。

つぎのページの迷路をやってみよう。

スポットライトの考え、**読心術の考え**、**自分を信じない考え** にじゃまされずに、ジャグラーをクラブのところまで連れて行ってね！

自信のある考え は **不安** をへらしてくれる。そうすれば、きみももっと気楽に、スポットライトをあびて人前に出られるようになるよ。

それに、もっといいことがある。きみが **不安** になるようなことだって、練習すれば、もっとかんたんにできるようになるんだ！

スポット
ライトの
考え
読心術の
考え
自分を
信じない
考え

自信のある考え

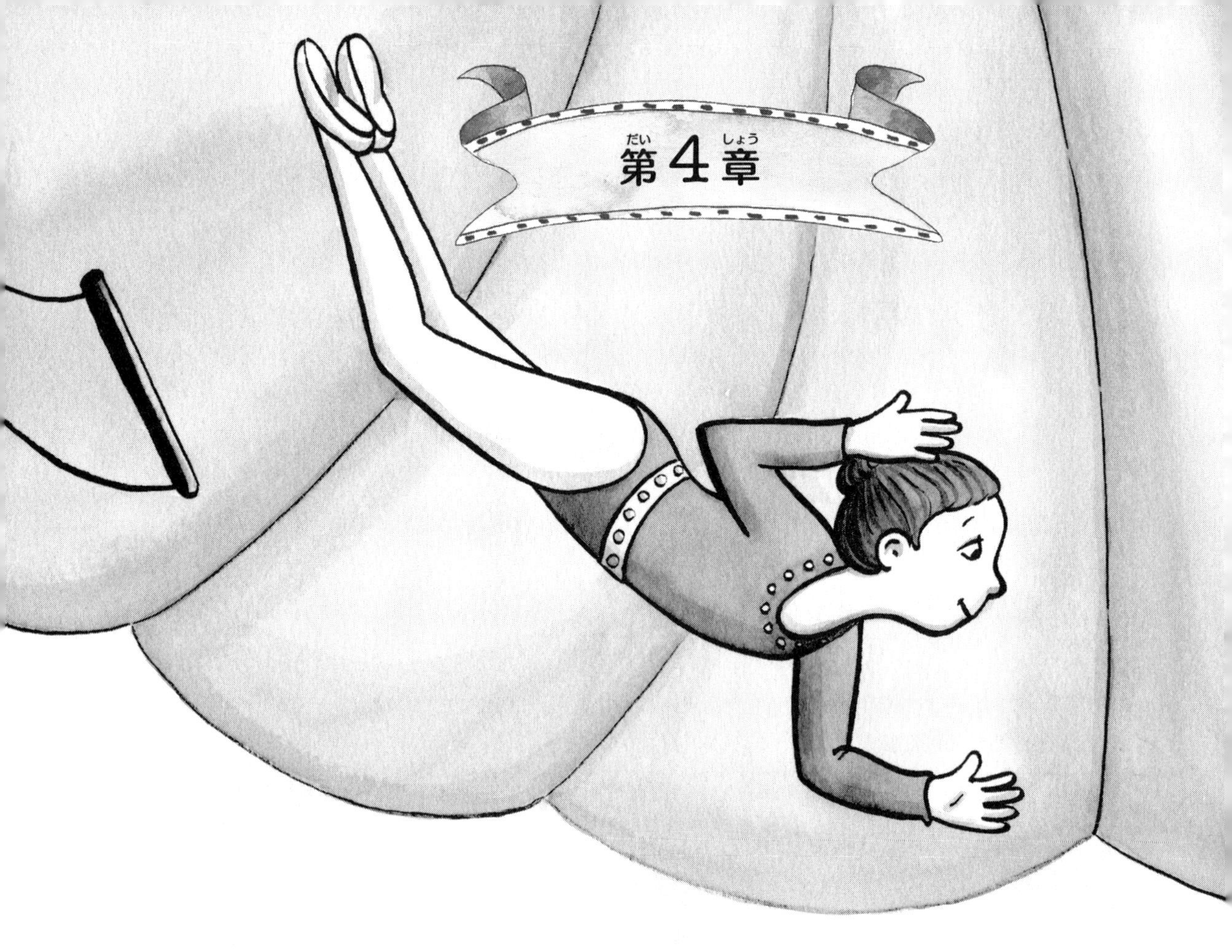

上へ、上へ

　サーカスで演技をするたくさんの団員たちには、大きな勇気がなくてはならない。つなわたり師は、天井の近くに張られた細いワイヤーから落ちるかもしれない。空中ブランコ乗りは、足でブランコにぶら下がりながら、空中を行ったり来たりする。でも、もちろんサーカス団員たちは、はじめから最高にむずかしい技ができたわけではないんだ。かんたんな技から始めて、恐怖を乗りこえられる技術を身につけてから、どんどんむずかしいことにチャレンジしていったんだね。

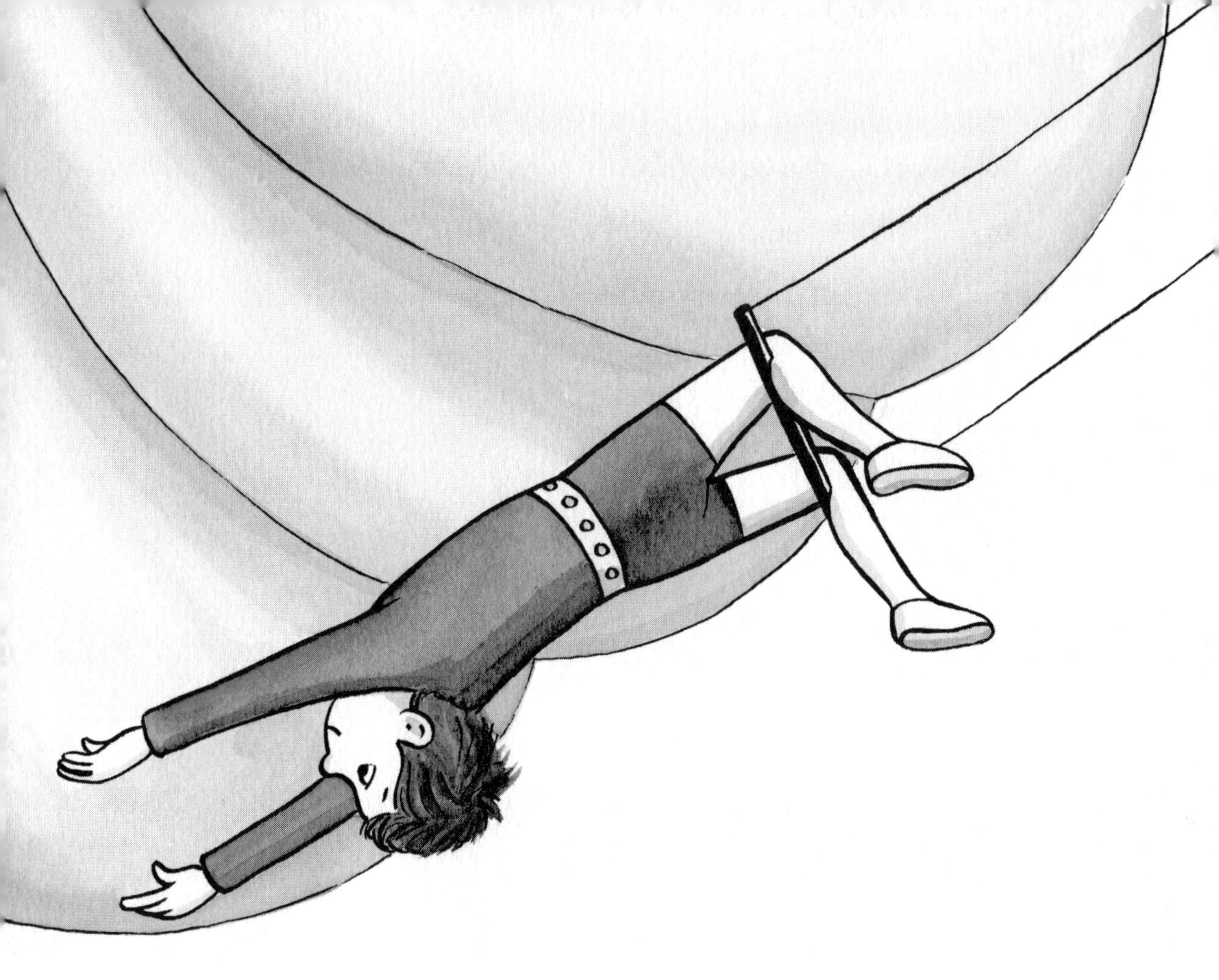

不安(ふあん)な気持ちを乗りこえるのも、同じことなんだ。きみも、自分が**不安**(ふあん)になることそれ自体を練習していけば、不安(ふあん)を感じるような場面もずっとらくになるだろう。でも、空中ブランコ乗りのように、はじめから一番むずかしい技(わざ)に挑戦(ちょうせん)する必要(ひつよう)はないんだよ。

ケンドラはお泊まり会にさそわれても、いつも「行かない」と断っていた。でもお母さんは、ケンドラがほかの女の子たちの楽しそうな様子を見て、悲しそうにしているのに気がついた。お母さんは行ってみたらと何度もすすめたけれど、ケンドラは不安でたまらなくて、行くことができない。

友だちの家の夕飯が自分の家のとちがっていて、食べられないものがあってもはずかしくて言えないとか、パジャマがダサいと友だちにからかわれないかとか、みんなの話題についていけなくて、いごこちの悪い思いをするかもとか、いろいろ心配になるんだ。はじめての家に行くのはこわいし、知らない大人にそのことを言うのも、きまりが悪いと思っている。こわいと言えないと、もっとこわくなって、泣き出して、みんなにじろじろ見られるかもしれない。

ケンドラがこわがっているのは、自分の気持ちや必要なことを人に言えないことが多いみたいだね。ケンドラはとても **不安** になったけど、全部のことが同じようにこわいわけではない。

そこで、お母さんに助けてもらって、お泊まり会の練習をしてみることにした。少しだけ不安なことから始めたよ。まず、友だちのケイシーの家で、夕飯を食べる練習をした。お母さんがケイシーのお母さんに、ケンドラのために特別なものは作らないように頼んでおいた。ケンドラは、食べられないものを出されたときに、ていねいに断るやり方を、お母さんと練習したんだ。

ケイシーの家で夕飯を食べることになった日、ケンドラはとてもドキドキした。お母さんに送ってもらって、ケイシーの家に着いたときには、もっと緊張したし、ケイシーと遊んでいるあいだも、リラックスできなかった。夕飯には、ケンドラの苦手なグリーンピースが出てきた。グリーンピースが好きな子もたくさんいるけど、ケンドラは好きじゃない。ケンドラは、おなかがぎゅっとしめつけられる感じがして、手に汗をかいたけど、きちんと大きな声で「ごめんなさい。グリーンピースはけっこうです」と言えたんだ。

ケンドラは、むかえに来たお母さんに、大成功だったよと報告した。このつぎ、また友だちの家で夕飯を食べることがあれば、きっとまだドキドキすると思うけど、でももう前ほどこわくないし、きらいなものを出されても、どう断ればいいかがわかるようになった。お母さんはケンドラに、とてもえらいねと言ってくれたよ。

ケンドラが今度、友だちの家で食事をすることになっても、前ほどこわくなくなったのはどうしてだと思う？　こうして練習したことで勇気が出て、だんだんお泊まり会にも行けるようになるのかな？　こわいと思うことを練習すると、役に立つのはなぜなんだろう？

不安になると、体がどんな反応をするか（手に汗をかいたり、顔が赤くなったり）、全部覚えてる？　**不安**な場面に長い時間ずっといると、体がそれに慣れて、落ち着いてくる。すると、つぎに似た場面になったときには、きみの体はもう前みたいにこわがらなくなる。そうやって練習を続けていけば、きみの体はもう「こわい」という信号をまったく出さなくなるんだよ。

すごくはずかしいと思ったことや、不安だから「断った」ときのことを、リストに書き出してみよう。知っている大人や知らない人や、ほかの子なんかと話すこと。うまくできないと思うことや、やったことのないことを人前ですること。好きじゃないと言えないことや、助けを求められないこともあるだろう。できるだけたくさんあげてみよう。これはカーターの作ったリストだよ。

カーターのリスト

- いっしょにどこかに行こうと友だちをさそう
- お泊まり会に行く
- スーパーの店員さんに、何かをたずねる
- 大人の助けを借りないで、ひとりで買い物をする
- ファーストフード店でひとりで注文する
- 図書館で、トイレの場所を大人にたずねる
- 宿題がよくわからないと先生に言う
- 電話で宅配ピザを頼む
- 公園で遊んでいる子たちに声をかけて、いっしょに遊ぶ

きみのリスト

つぎに、リストに書いたことを、下のはしごの絵に書き入れていこう。一番むずかしいことをてっぺんに、一番かんたんなことを一番下の段(だん)に書いてね。

今度は、はしごに書いたことを下から上へ順番にチャレンジしていこう。ひとつずつステップアップしていこうと思う人が多いけど、一番かんたんだと思う最初の一歩が、じつは一番むずかしいということもよくある。はしごを上がっていくにつれて、上のステップが、はじめに思っていたよりもかんたんに見えはじめるかもしれないね。そうしたら、そのステップをぬかしたり、いくつかのステップを同時にやってもいいんだ。反対に、**不安**が弱くなるまで、同じステップをくり返したっていい。

不安に思うことでも、練習すれば体がその場面に慣れていって、いごこちの悪い反応をしなくなることを覚えておこう。さあ、第一歩をふみ出そう。きっとすぐに、はしごのてっぺんまで上れるようになって、きみは高々と飛びはじめるよ！

第5章

不思議な鏡

サーカスの「鏡の館」って知ってる？　そこにはいろいろな鏡があって、自分の姿が全部ちがってうつるんだ。すごく背が高く見えたり、背が低くて横長に見えたり。さかさまになったり、マンガのキャラクターみたいに、口がものすごく大きくなる鏡もあるよ。自分のいろいろな姿を見るのはおもしろいよね。でも、いくら鏡にうつる姿が全部ちがっていても、自分はいつも同じ人間だって、きみにはわかっているよね！

人といっしょにいることは、鏡の館にいるのと似ているよ。相手によって、自分がちがう人間になったような気がすることもある。でも、相手によってきみがちがう行動をしても、きみはいつでも同じ人だ。すごく**不安**になったり、はずかしくてたまらなくなって、なにかをするのを避けたりするかもしれないし、そうでないこともあるだろう。それでも、いつだって、きみはきみのままなんだよ！

鏡の館

はずかしくてたまらないことがよくあると、人前でどう行動していいか、わからなくなるかもしれないね。落ち着いてリラックスできる相手もいるし、そうでない相手もいるだろう。

いごこちのいい相手といっしょにいるとき、きみはどんなことをする？　笑ったり、しゃべったり、相手の顔を見たり、その人の話を興味を持って聞いたりするかもしれないね。これは全部、なかよくしたい気持ちをあらわすフレンドリーな行動なんだ。

でも、**不安**になる相手といるときのきみは、リラックスしているときとちがって、なかよくしたいようには見えないかもしれない。でもそれは、不思議な鏡にうつった姿なんだ！　きみの内側は同じだから、いごこちが悪いと思ったときでも、言葉や動作で、フレンドリーな気持ちをあらわすことはできるんだよ。**不安**な気持ちになりはじめたら使えるように、フレンドリーな気持ちのあらわし方を練習してみようよ。フレンドリーになる**ステップ１**は、あいさつのしかただよ。こんなふうにしてみよう。

- 背すじをのばして、まっすぐ立って、
- 相手をしっかり見て、
- にっこり笑って、
- こんにちは！　と言おう

こんにちは

ステップ２ は、会話を始めることだよ。だれかとこんなふうに話を始めてみよう。

今度は、きみの番だよ。ほかにどんなことをたずねればいいかな？

だれかと話を始められたら、こんな方法を使って会話を続けよう。

- **かわりばんこに話そう**　自分だけしゃべりつづける人もいるけど、会話をしているときは話し手になったり、聞き手になったりしよう。

- **相手の言ったことに答えよう**　相手の言ったことに答えずに、自分の考えたことを勝手に話しはじめる人もいる。同じ話題の話をずっと続ける必要はないけれど、相手の言うことをよく聞いて、それにきちんと答えよう。

- **質問をしよう**　質問をすることで、相手に興味があるってことをあらわせるんだ。

- **意見を言おう**　相手の言ったことに対して自分の意見を言うことも、興味があることをしめすことになるよ。

ノアはほかの子と話すのは**不安**ではないけど、リリーは**不安**だ。ある月曜日の朝、学校でノアがリリーを見つけて、こう話しかけてきた。「ぼく、きのう『火星から来た少年』の映画を見たんだけど、きみも見た？」

リリーは**不安**だったので、下を向いて「見てない」と答えた。

すると、ノアがまた話しかけた。「すごくおもしろかったよ。きみも見たほうがいいよ」。リリーが、どう答えたらいいかわからなくてだまっていると、ノアはほかの子のところへ行ってしまった。

リリーがノアと会話できるよう助けてあげよう。

ノアが「ぼく、きのう『火星から来た少年』の映画(えいが)を見たんだけど、きみも見た？」と言ったとき、リリーはどう答えればよかっただろう？

フレンドリーな答え方を書いてみよう

シャーロットの家に、おじいさんとおばあさんがやって来た。二人はほかの町に住んでいるので、ふだんはなかなか会うことができないんだ。シャーロットはどう話せばいいのかと、**不安**(ふあん)になった。

シャーロットがていねいでフレンドリーなあいさつができるよう、助けてあげよう。どうすればいいと思う？

1. ____________________

2. ____________________

3. ____________________

4. ____________________

会話を始めるために、どんなことを聞いたり、言ったりすればいいだろう？

1. ____________________

2. ____________________

3. ____________________

4. ____________________

シャーロットは、もうしばらく**不安**が続くかもしれないけど、親切にふるまうことができたから、おじいさんとおばあさんも、きっとやさしくしてくれるよ。そうすればシャーロットも、もっとリラックスできるようになる。知ってる？　人間はにっこり笑うと本当に幸せな気持ちになれるってことを、科学者が発見したんだって。人はうれしいときに笑うよね。でも笑ったときにも、うれしい気持ちになれるんだ。

あいさつと会話の練習を続ければすぐに、きみのなかよくしたい気持ちが相手にとどいて、相手もよい反応をしてくれるようになるよ。

第6章

サーカス団の団長だ！

サーカス団には団長がいる。団長は、サーカス団を紹介したり、サーカスを演出したりするよ。団長になるためには、だれの前でもちゃんと自分を **主張** できることが大切なんだ。みんなも、自分自身の団長になって、自分のために **主張** しなくてはならない。

でも、**主張** ってどんなことだろう？　それは、自分がほしいものや必要なことを、相手にていねいに、そしてしっかりと伝えることだ。自分がほしいもの、好きなこと、いやだと思うことを、はっきり人に言わなくてはならないときがある。いつも思いどおりになるとはかぎらないけど、**主張** しなくては、なにも手に入れることができないよ。

ルイスは学校の食堂で、リンゴがほしかったのに、食堂の人にまちがってバナナをわたされてしまった。こんなとき、**主張**するというのは「すみません、バナナじゃなくてリンゴをください」と言うことだ。

友だちの誕生日会で、みんなが順番にすべり台をすべっている。マヤはまだ一度もすべっていないのに、もう二度もすべっている子がいるのに気がついた。こんなとき、**主張**するというのは、「今度は私の番だよ」と言うことだ。

でも、**不安**な気持ちがじゃましていたら、**主張**するのがむずかしいことがあるよね。

主張するのがむずかしいのには、どんな理由があるだろう？

ひとつの理由に、人の反応が心配だというのがあるね。いろいろな場面で **主張** することは、前もって練習して準備しておけるけど、相手がどんなふうに反応するかは、わからないよね。すると、**主張** するのがむずかしくなるかもしれない。

主張 すると、ほかの子たちにからかわれたり、腹を立てられたりすると思うから、なにも言わないという子もいる。

でもね、きみには主張する権利があることを忘れないで。相手がどんな反応をしたとしても、きみが主張してはいけないなんてことはないんだ。人の反応に対して自分がどうしたらいいかは、つぎの章で学ぶよ。でもその前に、**主張** するために大事なことを見てみよう。

- 人に聞こえる大きな声で、
- まっすぐに立って、
- ていねいに言おう。

学校では、主張するチャンスがたくさんあるよね。

列にだれかが割りこんできたら、なんと言えばいいかな？

「ねえきみ、あそこが列の最後だよ」と言ってみよう。

きみがまだ使っているものを、だれかに取られそうになったら、どう言えばいい？

給食の時間に、きみの席にだれかの荷物が置いてあったら、どう言えばいいだろう？

友だちの家に行ったときにも、主張(しゅちょう)するチャンスはたくさんあるよ。

友だちのお父さんが、きみのきらいなものをおやつに出してくれたら、どう言う？

「おじさん、ごめんなさい。ぼくバナナが好(す)きじゃないんです。ほかのものをいただけますか？」と言ってみよう。

なにをして遊ぶかを、友だちがひとりで決めようとしているとき、どう言えばいい？

きみの親がきみに見せたくないと思っている映画を、友だちの親が見てもいいよと言ったら、どう言えばいいだろう？

人生には、**主張**することが大事なときがたくさんある。人をコントロールすることはできないけど、きみが自分自身の団長になることはできるよ。自分に必要なことや自分の考え、自分にとっていいと思うことや、悪いと思うことを、きみは言っていいんだ。

たいていの場合、相手はきみの言うことを聞き入れてくれるだろう。でも、もし**不安**(ふあん)な気持ちがじゃましてい**主張**(しゅちょう)ができないのなら、練習をする必要(ひつよう)があるね。さあ、がんばって練習してみよう！

予想もしないことが起きたとき

サーカス団員はじっくりと時間をかけて、練習したり衣装を選んだり、小道具をチェックしたり、動物を訓練したりする。でも、思いがけないことが起きることもあるよ。

サーカス団員と同じように、きみにも、**不安**を乗りこえる練習をしたのに、予想しなかったことが起きて、それをどうにかしなくてはならないことがあるだろう。相手にどう言うかを長い時間をかけて計画したのに、相手が思ったとおりの反応をしてくれないと、いやな気持ちになるかもしれないね。**不安**を乗りこえて、せっかく友だちをさそったのに、「いやだ」と断られると心が傷つくかもしれない。でもね、期待どおりにならなくても、あまりがっかりしないことが大切なんだ。

不安なことをやってみる計画を立てるときは、うまく行かないかもしれないことや、問題が起きたらどうしたらいいかといったことも、時間をかけて考えておこう。

? 友だちを映画にさそったけど、「行かない」と言われたら？

? 算数の問題がわからなくて先生に聞きに行ったのに、「もう一度、問題を見直してごらん」と言われたら？

? ボウリング・パーティーに行ったら、みんながきみよりずっとうまかったら？

? 校庭で遊んでいる子たちに、なかまに入れてほしいと頼んだのに断られたら？

? お店でお菓子を買うとき、小銭をいつまでも数えていて、店員さんにイライラされたら？

こうした心配は、きみにもよくあることかもしれないね。でも、うまくいかないんじゃないかとただ心配しているだけなのと、どうしたらいいか前もって計画しておくことは、ちがうことだよ。心配しているだけだと、**不安な気持ち**がわいてくるだけだ。でも、問題が起きたときに、どうすればいいかを前もって考えておけば、どうするのが前向きなやり方かがもうわかっているから、よい反応のしかたを選ぶことができるよ。

クラスの何人かの男子が、ダニエルの誕生日のゲーム・パーティーに招待された。でも、ジェイクは呼ばれなかった。ジェイクは傷ついたけど、この問題に立ち向かう計画を立てようと決めて、どんな方法があるのか、考えてみたんだ。

ジェイクは、それぞれの方法を使うとどうなるか、そして自分がどんな気持ちになるかを考えてみた。何も言わないのがいいかな、と思ったけど、それではあまりいい気分じゃない。それで、ジェイクは別の日に、ダニエルとジョーをロッククライミングにさそってみることにした。

だれかに気に入らないことをされると、いやな気持ちになったり、傷ついたり、腹が立ったり、きまり悪い思いをしたりするかもしれないね。そんな気持ちがとても強くなることもあるだろう。そんなときはジェイクのように、立ち止まって、ほかの方法がないかを考えてみるのがいいよ。そうすることを、「休憩」というんだ。

1. 学校でだれかに「弱虫！」と言われたら、

A. 無視する

B. 心が傷ついたと相手に言う

C. 笑い飛ばす

D.「デブ！」と言い返す

E. ______________________________

2. きみの誕生日会に、なかよしの二人が来られないと言ったら、

A. どうして来られないのか聞いてみる

B. 絶交する

C. パーティーをやめる

D. 別の二人を招待する

E. ______________________________

3. サッカーの練習で、不安を乗りこえてコーチに質問しようとしているのに、コーチがこっちを見てくれなかったら、

A. あきらめて別の日に聞く

B. 大きな声で「すみません、ブラウンコーチ！」と呼びかける

C. 飛んだりはねたりしながら、「コーチ！　コーチ！」と呼びつづける

D. かわりにお父さんからコーチに話してもらう

E. ______________________________

4. 水飲み場で水を飲んでいたとき、後ろからだれかに強く押されて、きみのシャツがびしょぬれになってしまったら、

A.「気をつけてよ！　びしょぬれになったじゃない！」と言う

B. だれかに押されたと、先生に言いに行く

C. 何も言わずにその場をはなれる

D. 後ろにならんでいる子に水をかける

E. ______________________________

この練習の答えの中には、よいものと、そうでないものがあるよ。

どんな方法を使えるかをリストにしたら、つぎに、それぞれの方法をやってみたらどうなるかを考えよう。そうすれば、どれが一番いいやり方かがわかるだろう。

ジェイクの場合、ダニエルやほかの子たちともっとなかよくなりたいのだから、怒ったり、何も言わなかったりするのは、よいやり方ではないと考えた。そして、かわりに、ダニエルたちをほかの遊びにさそおうと考えたんだ。

予想しなかったことや、腹が立ったり傷ついたりしたことにどう反応するかを考えるために、上手に**休憩**できるようになれば、**不安**な気持ちを乗りこえることも、もっと上手にできるようになるよ。

ショーを続けます！

リラックスして サーカスを楽しもう

みんながサーカスを楽しんでいるときにも、つなわたり師は、一歩一歩に集中している。サーカス団員は、ひとりひとりが集中力と注意力がいる仕事をしているんだ。

心配な考えに立ち向かったり、**不安**になることをやってみたり、フレンドリーになる練習をしたりしているときのきみも、サーカス団員と同じだよ。自分がすることや言うことに集中しなくてはならない。演技をするあいだ、体はストレスを感じるものだ。目標に向かって、集中したり一生けんめいに努力したりしているとき、ストレスは役に立つ。つなわたり師は、筋肉が緊張しているから、つなの上を歩くときにグラグラしないんだよ。はげしく呼吸をしながら、注意をはらって一歩一歩進んでいくんだ。

でも、そんな緊張をずっと続けられる人なんていない。サーカスが終わると、団員たちはリラックスして、体のストレスをとき放つんだ。きみもそうするといいよ。みんな、そうしているからね。

体を動かしながらでも、静かになにかを作ったりしながらでも、リラックスすることはできる。ひとりでも、だれかといっしょでもいいんだ。ストレスを解消する方法をいろいろ知っていると、役に立つよ。緊張をほぐすために、どんなことをするのがいいかを考えてみよう。みんなのリラックス法を、いくつかあげてみたよ。きみはどんな方法でリラックスできるかな？　下のリストに書いてみよう。

動く

自転車に乗る

泳ぐ

なわとびをする

______

______

______

作る

絵を描く

ねん土で何かを作る

工作をする

______

______

______

人とつながる

友だちと遊ぶ

お父さんやお母さんとトランプをする

スージーおばさんとビデオチャットで話す

くつろぐ

本を読む

お風呂（ふろ）に入る

音楽をきく

リラックスしたり、気持ちを落ち着かせたりする方法（ほうほう）がわかれば、**不安（ふあん）**の引き金になる場面からくるストレスがへって、らくになれるよ。

ストレスを感じる場面になる前に、「自分と話す」のもよい方法だよ。つなわたり師は「今日はきっと落っこちるよ」なんて、自分に向かって言っていると思う？　まさかね！　そうじゃなくて、こんなふうに自分に言い聞かせているんじゃないかな。

「ちゃんとやれるよ」とか、「じゅうぶん練習したよ」ってね。

自分を主張したり、人にフレンドリーにしたりする練習では、自分にどんなことを言えばいいだろう？　自分をはげますんだ。鏡で自分を見ながら、はげましの言葉をかけよう。こんなふうに言ってみようよ。

ジェレミー、はじめは静かにしていてもいいんだ。少したてば、きみはすごく楽しい人になれるからね

トラビス、この前、自分を主張したときは、うまくいったよね。今度もきっと、だいじょうぶさ！

きみなら、自分にどんなことを言うかな？　本当のきみをあらわす言葉を言って、自分をはげまそうよ。

リラックスできることや、自分をはげます言葉を見つければ、ストレスがへって、目標にたどり着くのに役立つよ。そうしたら、ゆったり座ってリラックスして、毎日を楽しむことができるね！

きみならできる！

だれでも**不安**になることはあるけど、**不安**がきみのしたいことをさまたげたり、だれかといっしょに時間を過ごすことをじゃましたりしてはならないんだ。少し練習が必要だけど、**不安**は手なずけることができるよ。**心配な考え**を**自信のある考え**に置きかえてみよう。そうすることで、はじめはちょっとグラグラするかもしれないけど、気持ちのバランスをたもてるようになるよ。本当ではない考えに、自分をはげます考えで対抗することで、きっと気分がよくなるはずだ。

もちろん、サーカス団員のように、覚えた技がもっとうまくなるように練習するのは大切なことだ。それはつまり、人にフレンドリーにしたり、自分の考えを礼儀正しく主張したりする練習をする、ということだよ。それから、がっかりしたときにどうすればいいかを、前もって考えておく練習もしなくちゃね。こうした技がすごく上手になるには時間がかかるけど、自分にやさしく、そしてしんぼう強く練習していこう。

もうきみは、必要なときに、気持ちを落ち着けたり、リラックスしたりすることができるようになったよね。

スポットライトの
考え
読心術の考え
自分を信じない
考え
自信のある
考え

やったね！　下のポスターにきみの名前を書き入れて、サーカスの楽しいなかまに入ろう！

[著 者]
クレア・A・B・フリーランド博士 Claire A. B. Freeland, Ph.D.
アメリカ・インディアナ大学で修士号、メリーランド大学で博士号を取得後、メリーランド大学医療センターとペンシルバニア大学で認知行動療法の研究を行う。その後メリーランド州タウソンで開業、30年以上にわたり子どもとその家族の診療にあたる。認知行動療法などを用い、子どもたちが感情面や行動面の問題や、教育面での困難を乗りこえる手助けをしてきた。仕事以外では、家族と過ごすことや、ヨガなどのフィットネス、旅行、演劇やコンサートなどを楽しむ。そしてもちろん、よき友人であるトーナー博士と本を書くことも大好き。

ジャクリーン・B・トーナー博士 Jacqueline B. Toner, Ph.D.
アメリカ・バージニア大学で修士号と博士号を取得、メリーランド大学医療センターで子どもたちの治療と親の指導についてのさらなる訓練を積み、30年以上にわたり子どもたちと家族を支援してきた。子どもたちが認知行動療法を学んでストレスや日常の困難に立ち向かえるよう指導し、学校に生徒の感情面での支援についての助言も行う。仕事以外の楽しみは、家族と過ごす時間を大切にし、屋外で運動したり絵を描いたり、子どもたちが遊ぶのを眺めたりすること。そして友人のフリーランド博士と一緒に本を書くのも楽しみのひとつ。

[イラストレーター]
ジャネット・マクドネル Janet McDonnell
アメリカ・イリノイ州シカゴ郊外在住のライター、イラストレーター。多くの児童書や子ども向け雑誌の絵を手がける。

[訳 者]
上田 勢子（うえだ せいこ）
東京生まれ。1977年、慶應義塾大学文学部社会学科卒。79年より、アメリカ・カリフォルニア州在住。これまでに100冊を超える児童書、一般書の翻訳を手がける。主な訳書に『イラスト版 子どもの認知行動療法』シリーズ全10巻、『LGBTQってなに？』（共に明石書店）、『子どもの「こころ」を親子で考えるワークブック』全3巻（福村出版）、『ひとりでできる中高生のPTSDワークブック』（黎明書房）、『きみにもあるいじめをとめる力』『ネット依存から子どもを守る本』（共に大月書店）などがある。

だいじょうぶ 自分でできる はずかしい！[社交不安]から抜け出す方法ワークブック
[イラスト版 子どもの認知行動療法 9]

2020年3月31日 初版第1刷発行

[著 者] クレア・A・B・フリーランド／ジャクリーン・B・トーナー
[絵] ジャネット・マクドネル
[訳 者] 上田勢子
[発行者] 大江道雅
[発行所] 株式会社 明石書店
〒101-0021 東京都千代田区外神田6-9-5
電話 03(5818)1171 FAX 03(5818)1174
振替 00100-7-24505 http://www.akashi.co.jp
[AD・装丁] 山田 武
[印 刷] 株式会社文化カラー印刷
[製 本] 協栄製本株式会社

ISBN978-4-7503-4978-7
Printed in Japan
（定価はカバーに表示してあります）